礼器碑

名家教你写

视频精讲版

◎周红军　编

中原出版传媒集团
中原传媒股份公司
河南美术出版社
·郑州·

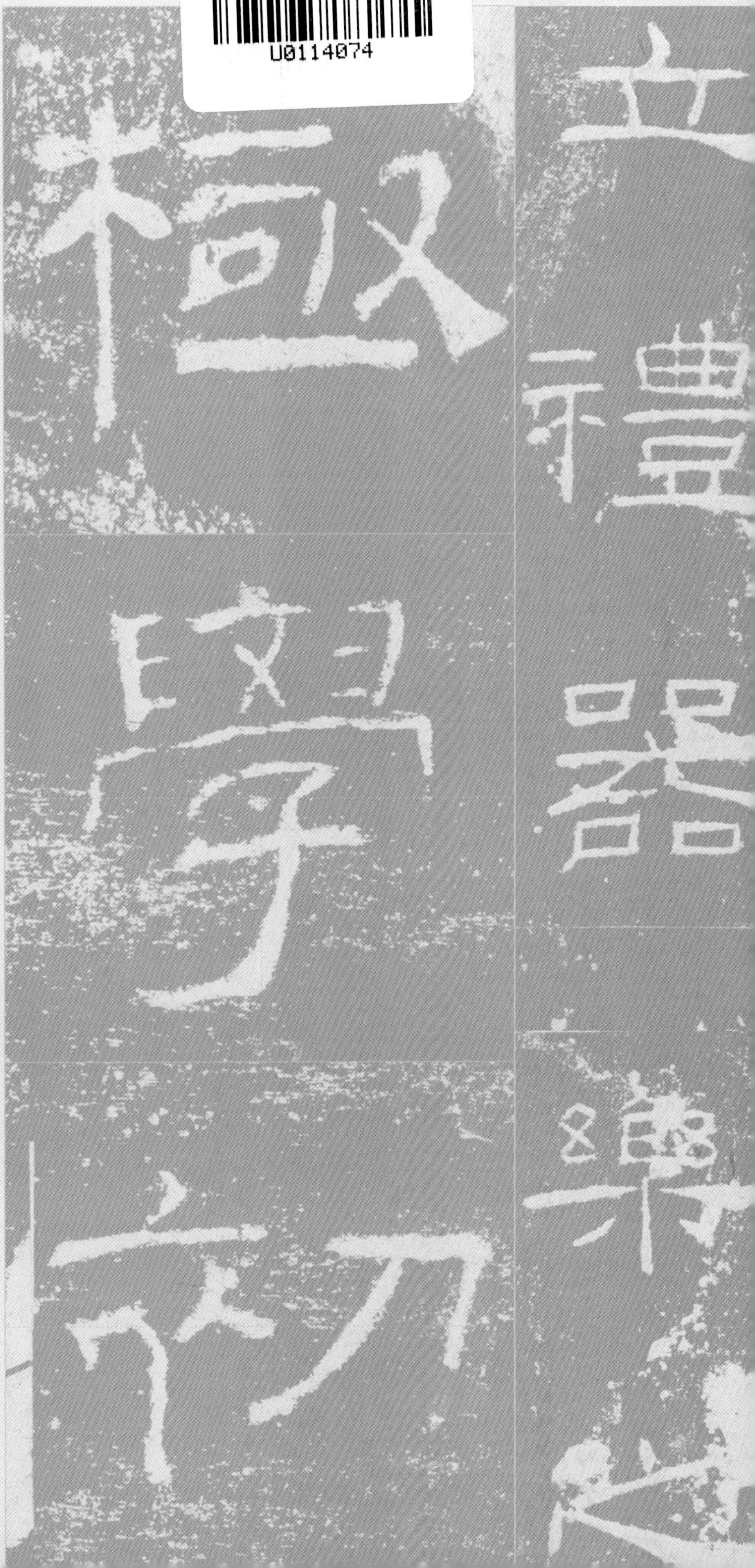

图书在版编目（CIP）数据

礼器碑/周红军编. — 郑州：河南美术出版社，2023.2
（名家教你写：视频精讲版）
ISBN 978-7-5401-6063-0

Ⅰ. ①礼… Ⅱ. ①周… Ⅲ. ①隶书－碑帖－中国－东汉时代 Ⅳ. ①J292.22

中国国家版本馆CIP数据核字(2023)第005824号

名家教你写 视频精讲版

礼器碑

周红军 编

出版人 李 勇
责任编辑 谷国伟 王立奎
责任校对 管明锐
装帧设计 杨慧芳
出版发行 河南美术出版社
地 址 郑州市郑东新区祥盛街27号
邮政编码 450016
电 话 0371-65788152
印 刷 河南瑞之光印刷股份有限公司
经 销 新华书店
开 本 889mm×1194mm 1/16
印 张 6.75
字 数 84千字
版 次 2023年2月第1版
印 次 2023年2月第1次印刷
书 号 ISBN 978-7-5401-6063-0
定 价 39.80元

出版说明

《礼器碑》，又称《鲁相韩敕造孔庙礼器碑》《修孔子庙器碑》《韩明府孔子庙碑》《韩敕碑》等。碑高234厘米，宽105厘米。正文16行，行36字。碑文记载鲁相韩敕修饰孔庙，制造各种礼器，吏民共同捐资立石，以颂其德之事。碑阳后3行及碑阴、碑侧刻捐款人姓名及捐款数额。《礼器碑》建于东汉永寿二年（156），立于山东曲阜孔庙，与《乙瑛碑》《史晨碑》并称为『孔庙三碑』。

《礼器碑》立于东汉晚期，是隶书高度成熟时期的作品。此时隶书的典型笔法已基本完备，而又无后期程式化的弊端。其结体端庄严谨，字法规范，书刻皆极精妙。《礼器碑》自宋代以来著录甚多，备受金石书画家的重视，有『隶书第一』的美誉。该碑书风雅逸雄健，端庄秀美，古朴灵动，庄重典雅而又奇趣丛生；既具备雄浑的庙堂之气，又兼备清奇雅逸的君子之风，实为汉碑中的精品。

在汉隶名碑中，《礼器碑》堪称瘦硬之美的典范。其点画凝练遒劲，瘦而不弱，细而不软；其质如金似铁，犀利斩截，如铁丝染锈，劲利中时见斑驳，更具苍劲之美。临习时要充分抓住这一特点，用笔要逆锋入纸，中锋裹毫，力注笔端；行笔要疾徐相间，沉实稳健，即所谓『如锥画沙，如印印泥』。缓中涩进，结合笔锋的上下提按变化，把笔锋送至笔画末端，轻提回收，精气内含，这样写出的线条虽细但力度不减。

《礼器碑》笔画的另外一个特点就是变化多端。《礼器碑》虽是瘦硬风格的代表，但并非都是纤细之笔。在通篇以瘦为主的格局下，也有许多粗重之笔，轻重变化对比强烈。通篇有字与字之间的对比，如首页的『惟』『年』之重，『寿』『青』之轻；有单字之间的粗细变化，如『宣』的『日』部之细，主笔波画之粗，相差极大。其他如『其』『胜』『台』字等，有的是一个笔画间的轻重变化，如『丘』字的主笔波画的蚕头雁尾提按幅度极大，对比十分强烈。总之，《礼器碑》用笔变化多端，长短、粗细、方圆、曲直、俯仰等各尽其态。这些都是我们在临习中要注意分析的。

东汉隶书碑刻繁多，风格各异。《礼器碑》总体上属于工稳整饬一路，碑阳与碑阴、碑侧略有差异。碑阳是记录孔庙造器的重要事件，故而结体最突出的就是端庄严谨、沉稳劲健，有雅正中和之美，成为庙堂之碑的典范。碑阴与碑侧，由于是捐款人的姓名和捐款数额，书写则有所放松。其运笔娴雅，志气平和，可谓『不激不厉而风规自远』。其间架宽松，正极奇生，随势下笔，熟而生巧，故一字一形，皆在生熟敧正之间。如『百』『鲁』『阳』等字多次重复却无一相同，变化微妙而不失和谐，无意于变而变。所谓『书到熟来，自然生变，此碑无字不变』『此碑无意于变，只是熟故。若未熟便有意求变，所以数变辄穷』。

《礼器碑》的碑侧因受石面宽度的限制，采取了竖有行、横无列的布局。如同西北出土的汉简，驾轻就熟，恣肆飞扬，长撇大捺极尽张扬，尽显性情，与碑阳的沉稳庄重形成了鲜明的对比。从整体上看，碑阳端庄平正，碑阴轻松适意，碑侧纵横飞扬。整个碑因书写时的情绪变化而形成不同的面貌，也使作品表现得更加丰富，成为汉碑中最突出的一种，有着极高的艺术价值。

初学此碑，用笔宜以兼毫为佳，过硬则易生圭角，过软则难以表现线条劲挺；用纸以半生熟为宜，过生易洇墨，过熟则轻滑。临帖前要对原帖进行认真观察、分析，所谓『察之者尚精，拟之者贵似』。读懂每一个字的结构特征、位置形状，笔画的长短、粗细、俯仰、曲直与用笔的藏露、提按等，书写时要做到胸有成竹。临写时要精准，尽量与原帖相似，先形似后神似，继而领悟《礼器碑》的精髓。

为方便书法爱好者学习，我们特邀请书法名家周红军老师对全书进行通篇临摹示范，并选取范字进行讲解。另外，我们运用现代科技手段，制作成二维码，扫码即可观看讲解视频，以飨读者。

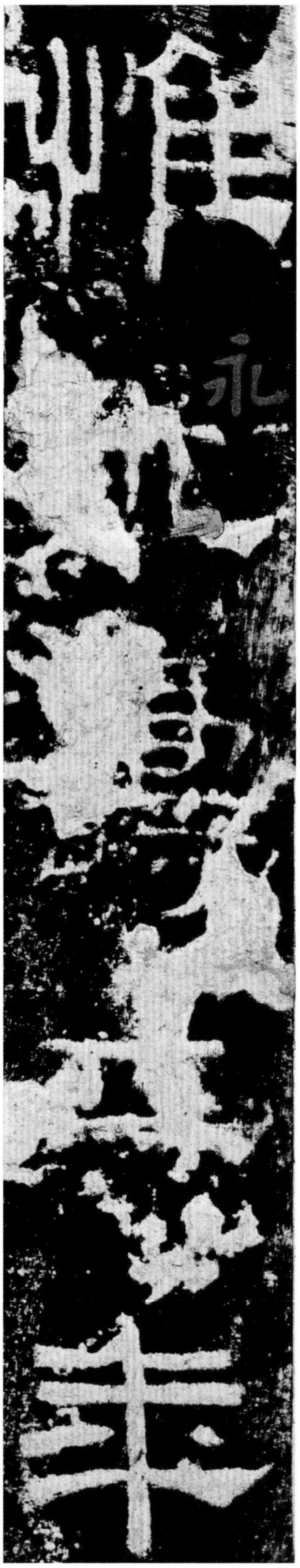

惟永寿二年

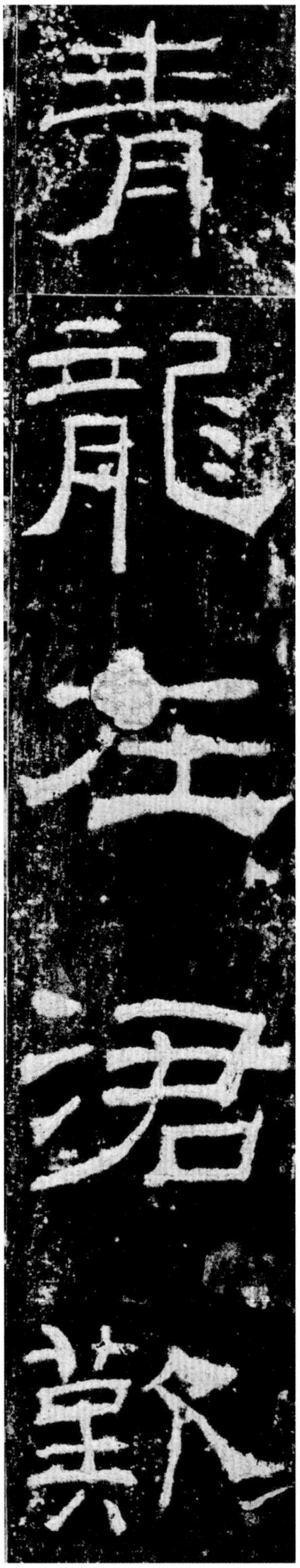

青龙在涒叹

霜月之灵皇

极之日鲁相

河南京韩君

追惟大古华

胥生皇雄颜

□育孔宝俱

制元道百王

不改孔子近

圣为汉定道

自天王以下

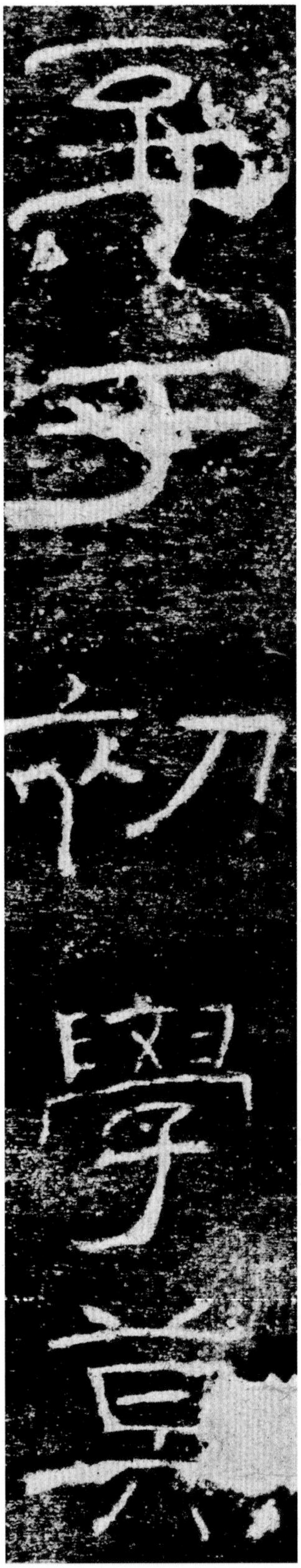

至于初学莫

不驰思叹印

师镜颜氏圣

在安乐里圣

里并官圣妃

舅家居鲁亲

族之亲礼所

宜异复颜氏

并官氏邑中

礼乐陵迟秦

心念圣历世

繇发以尊孔

项作乱不尊

图书倍道畔

德离败圣舆

立礼器乐之

丘君于是造

食粮亡于沙

音符钟磬瑟

鼓雷洗觞觚

爵鹿柤梪笾

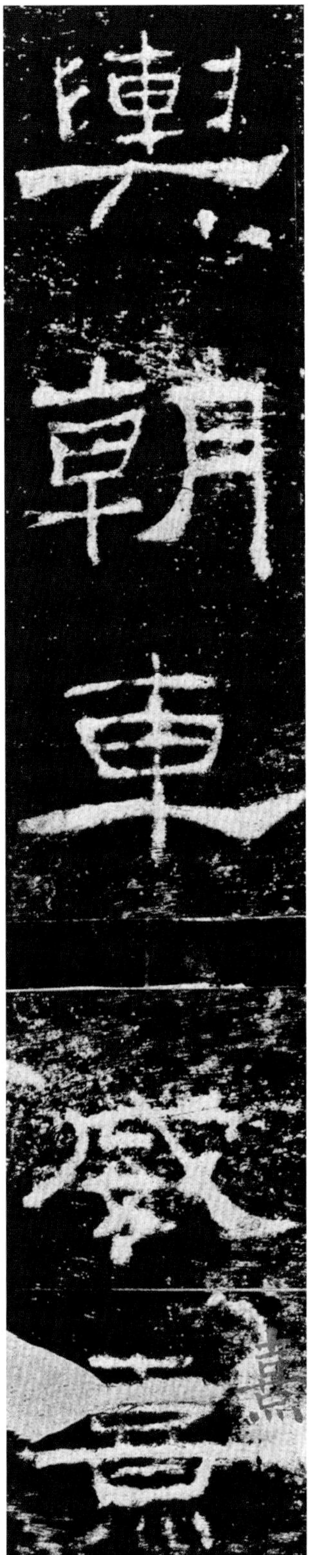

舆朝车威熹

宅庙更作二

杈禁壶修饰

宣抒玄污以

注水流法旧

不烦备而不

合圣制事得

稽之中和下

奢上合紫台

礼仪于是四

方士仁闻君

风耀敬咏其

德尊琦大人

之意違弥之

思乃共立表

石纪传亿载

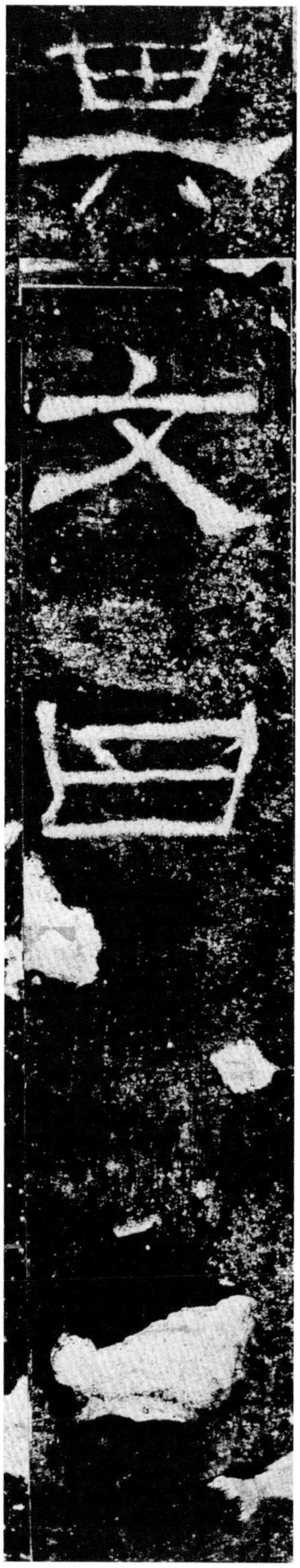

其文曰

皇戏统华胥

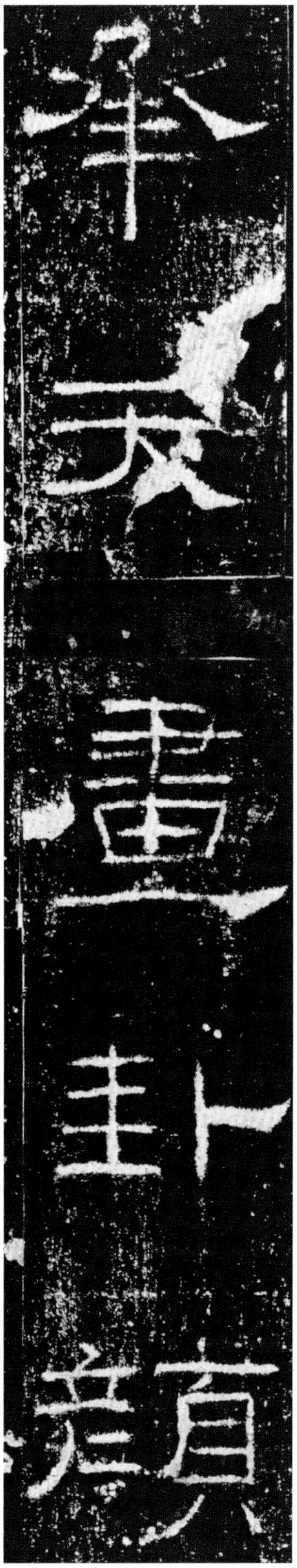

承天画卦颜

育空桑孔制

元孝俱祖紫

宫大一所授

前闾九头以

什言教后制

承天之语乾

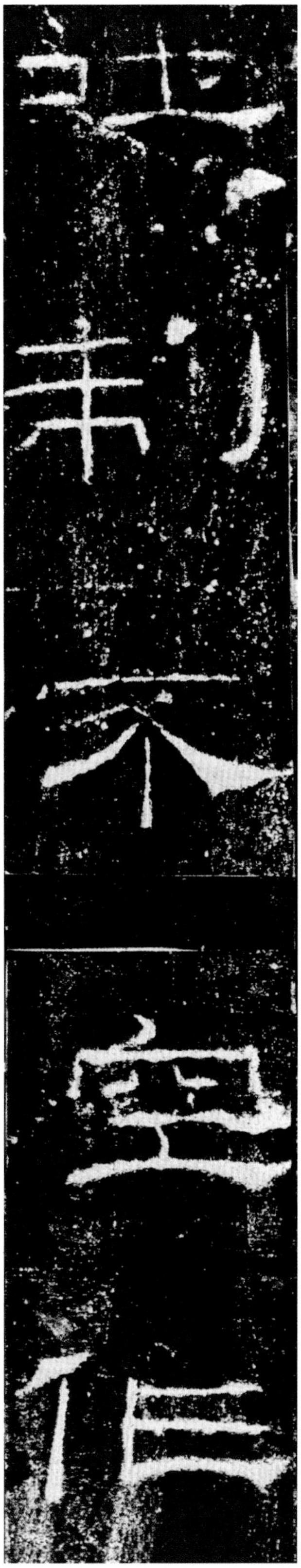

吐制不空作

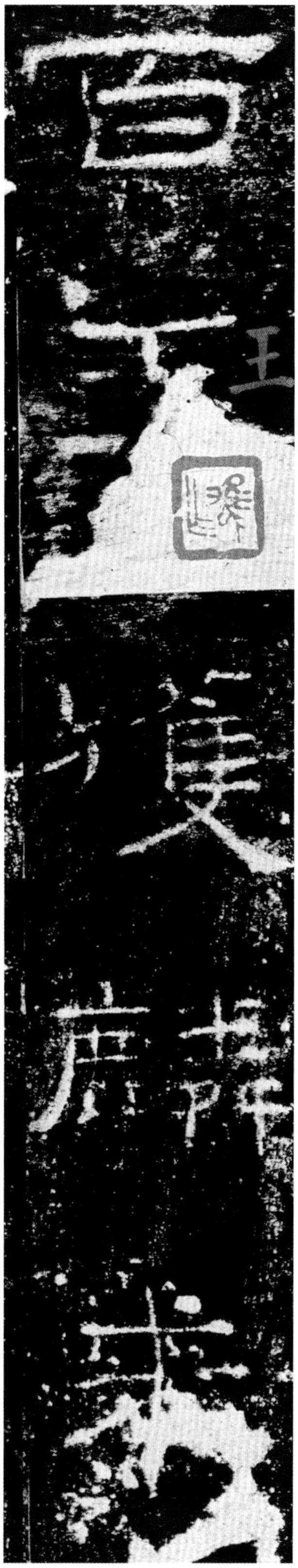

百王获麟来

元以来三九

之载八皇三

代至孔乃备

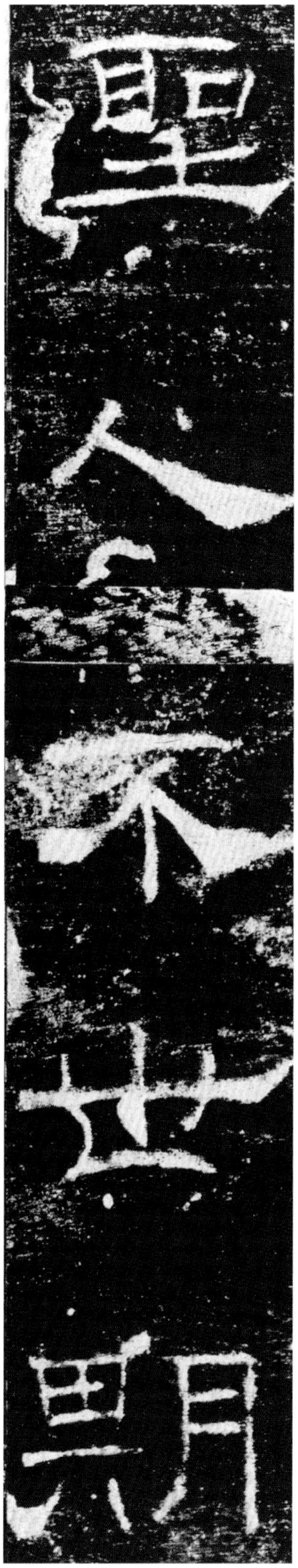

圣人不世期

五百载三阳

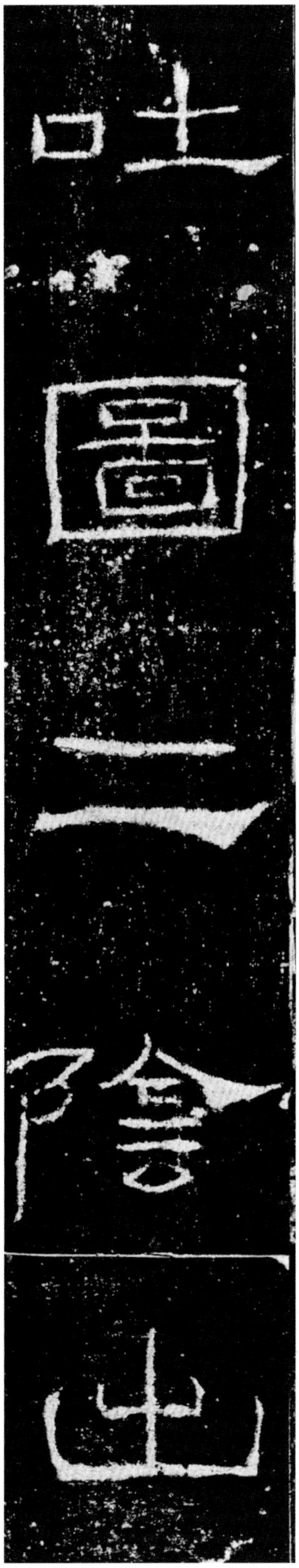

吐图二阴出

穆韩君独见

以侯知奥于

谶制作之义

天意复圣二

族逴越绝思

修造礼乐胡

辇器用存古

旧宇殷勤宅

庙朝车威熹

争贾深除玄

不水解工不

出诚造更漆

污水通西注

礼器升堂天

雨降澍百姓

谒敬之报天

庆神灵祐诚

䜣和举国蒙

与厥福永亨

牟寿上极华

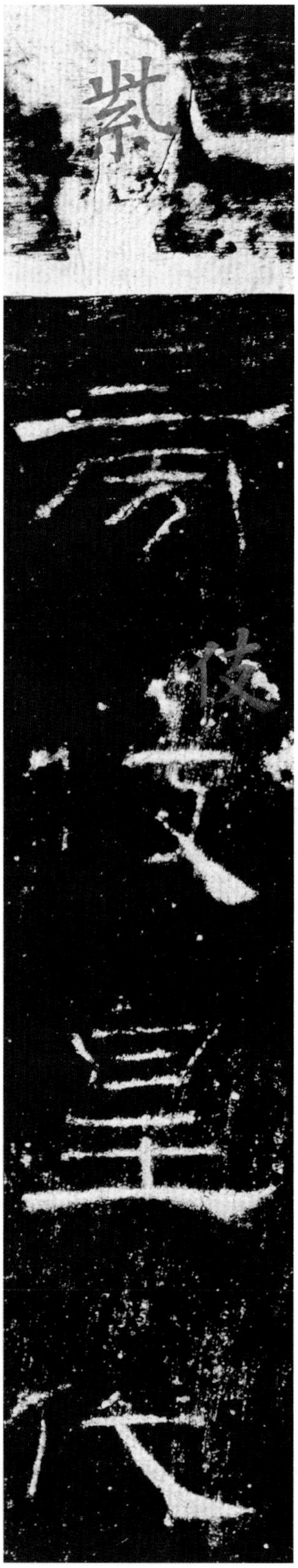

紫旁伎皇代

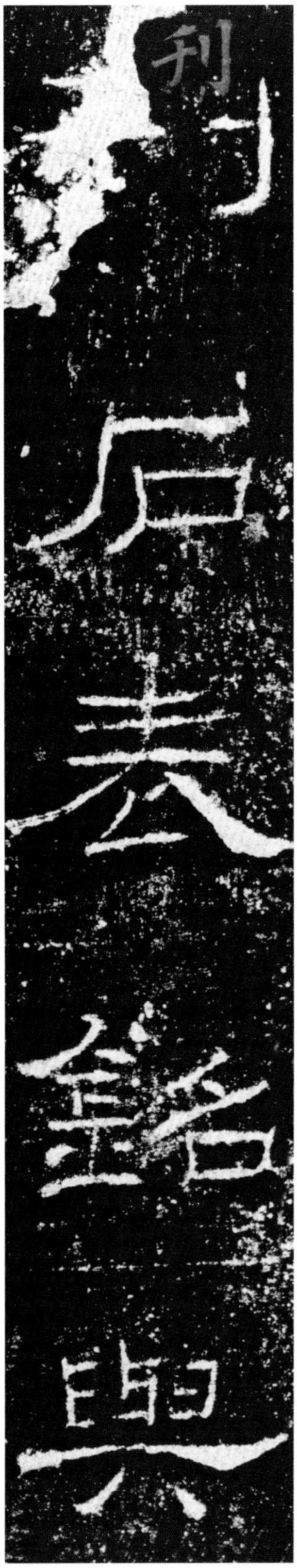

刊石表铭与

乾运耀长期

荡荡于盛复

韩明府名敕

声垂亿载

授赫赫罔穷

字叔节

颍川长社王

玄君真二百

百 故

门俭元节二

河东大阳西

故会稽大守

廌次公五千

涿郡大守鲁

鲁傅世起千

故乐安相

鲁麃季公千

故从事鲁张

嵩眇高五百

相主簿鲁薛

陶元方三百

相史鲁周乾

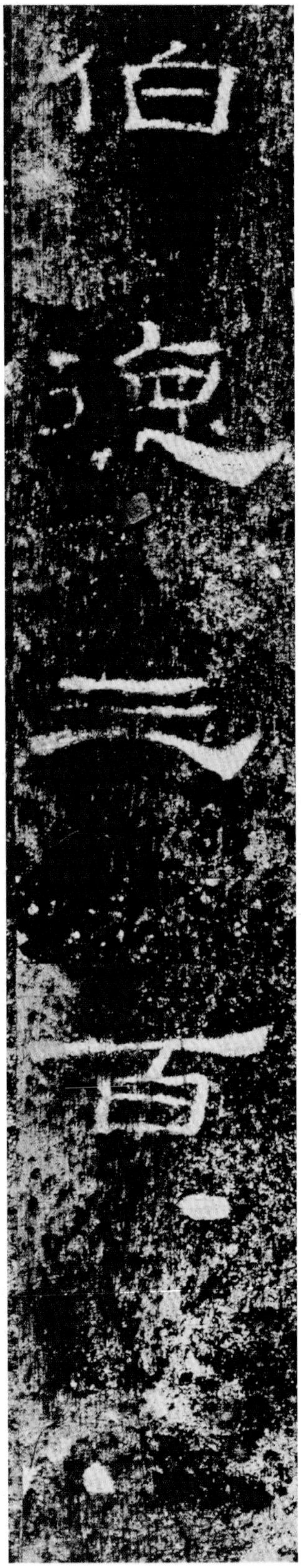

伯德三百

河南成皋苏

二百

曲成侯王暠

汉明二百

其人处士河

南洛阳种亮

奉高五百

故兖州从事

任城吕育季

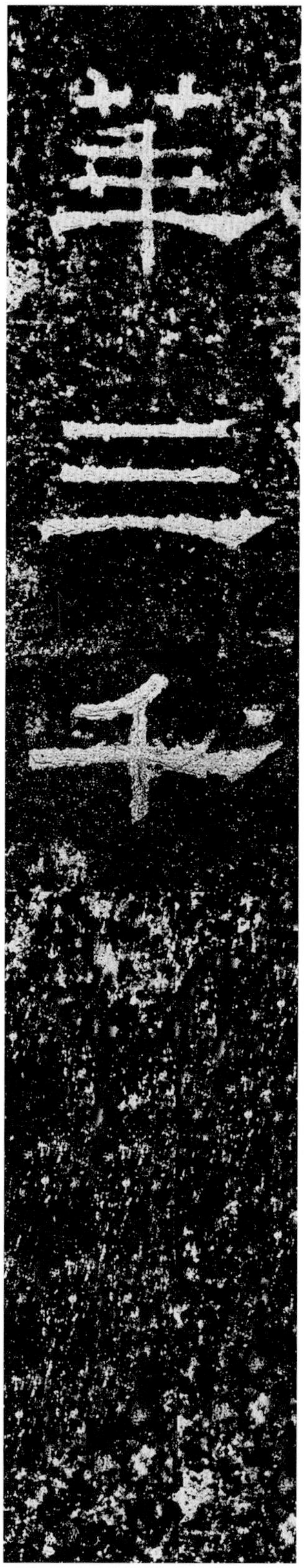

华三千

故下邳令东

平陆王褒文

阳鲍宫元威

故颍阳令文

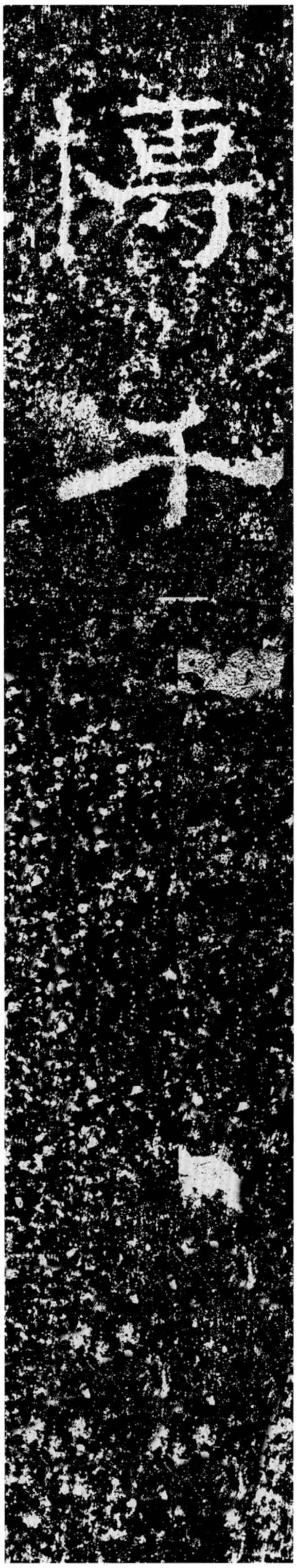
博千

申伯百

河南洛阳李

千

赵国邯郸宋

填元世二百

彭城广戚姜

寻子长二百

平原乐陵朱

恭敬公二百

平原湿阴马

瑶元冀二百

彭城龚治世

平二百

泰山鲍丹汉

公二百

下邳周宣光

二百

京兆刘安初

伯宣二百

河间東州齐

二百

颍川长社王

伯宗二百

陈国苦虞崇

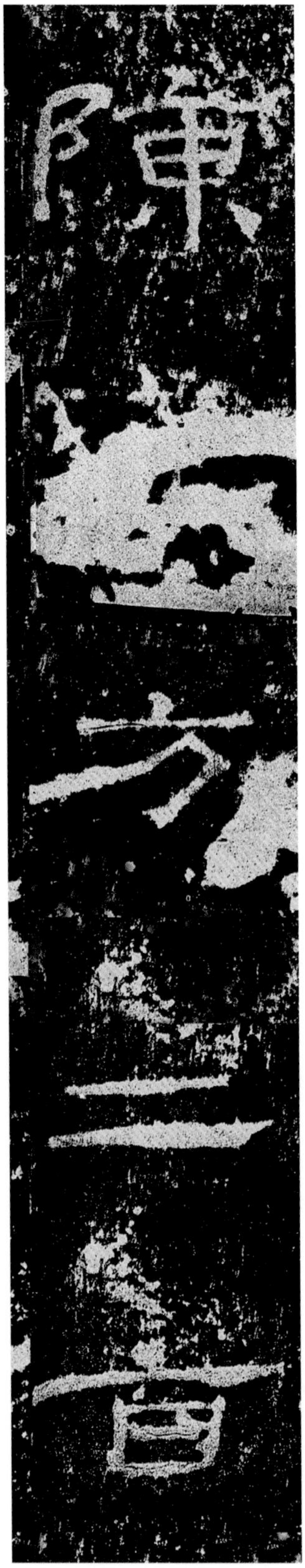

陈汉方二百

汝南宋公国

季孟三百

山阳南平阳

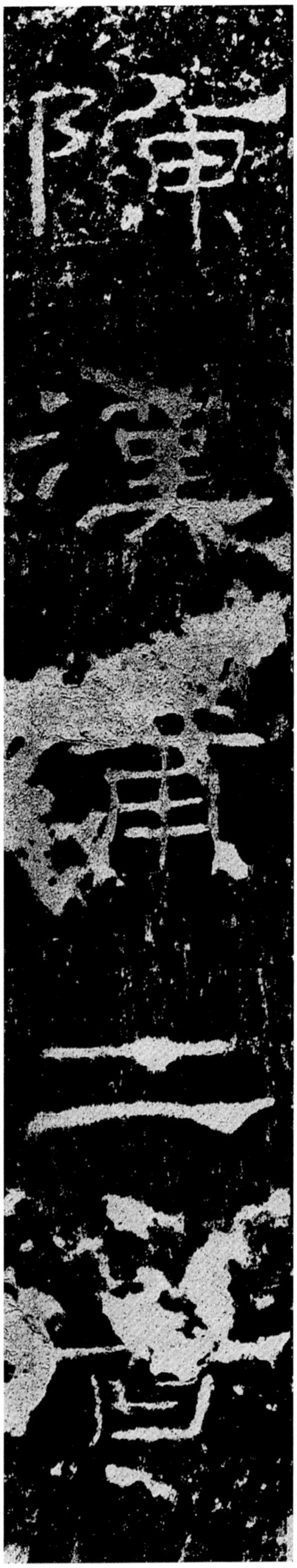

陈汉甫二百

任城番君举

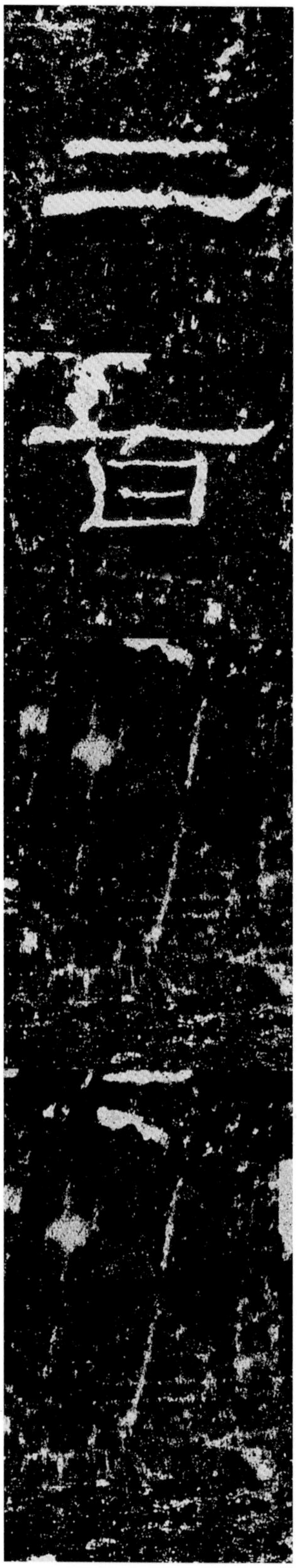

二百

任城王子松

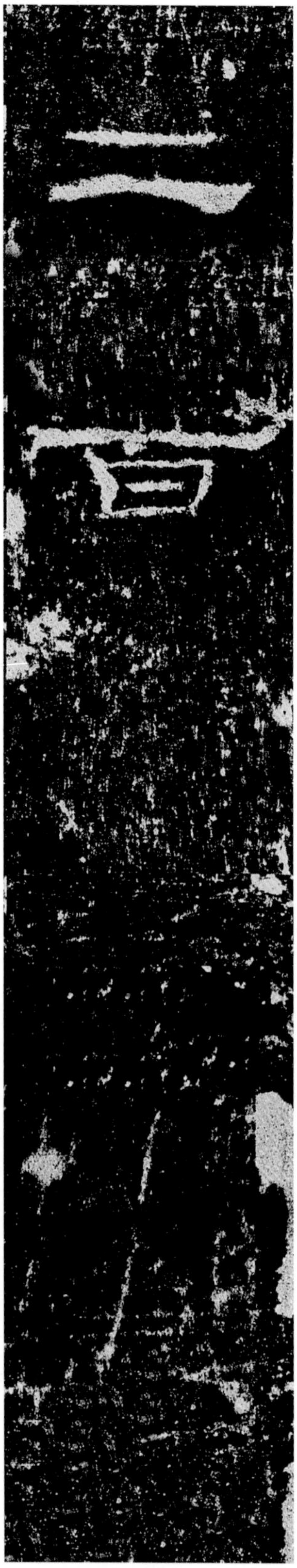

二百

任城谢伯威

二百

任城高伯世

二百

相主薄薛曹

访济兴三百

相中贼史薛

虞韶兴公二

百

相史卞吕松

百

薛弓奉高二

百

骆韦仲卿二

□远百

处士鲁刘静

子著千

故从事鲁王

陵少初二百

故督邮鲁亓

辉景高二百

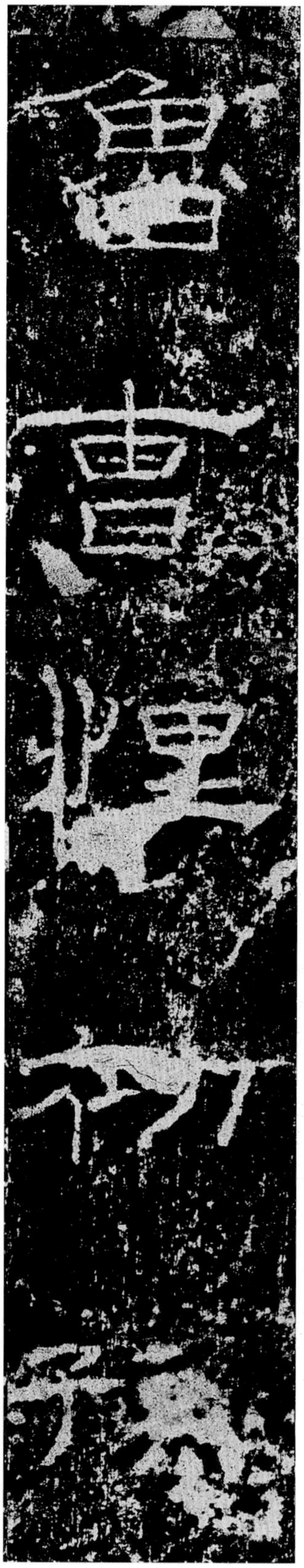

鲁曹悝初孙

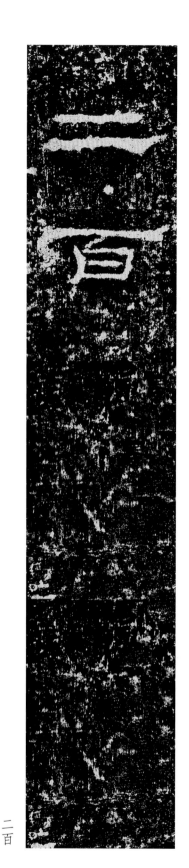

二百

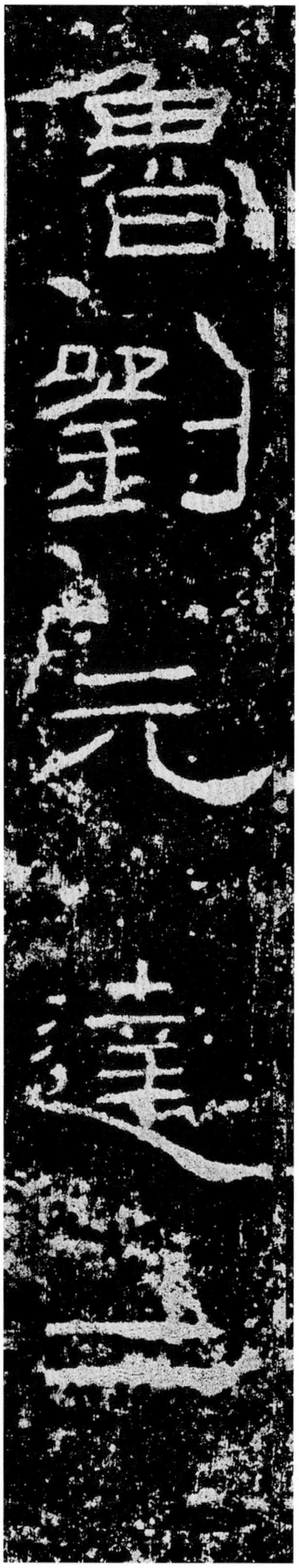

鲁刘元达二

辉彦台二百

故督邮鲁赵

百

郎中鲁孔宙

季将千

御史鲁孔翊

元世千

大尉掾鲁孔

凯仲弟千

鲁孔曜仲雅

二百鲁孔仪

甫二百

处士鲁孔方

广率千

鲁孔巡伯男

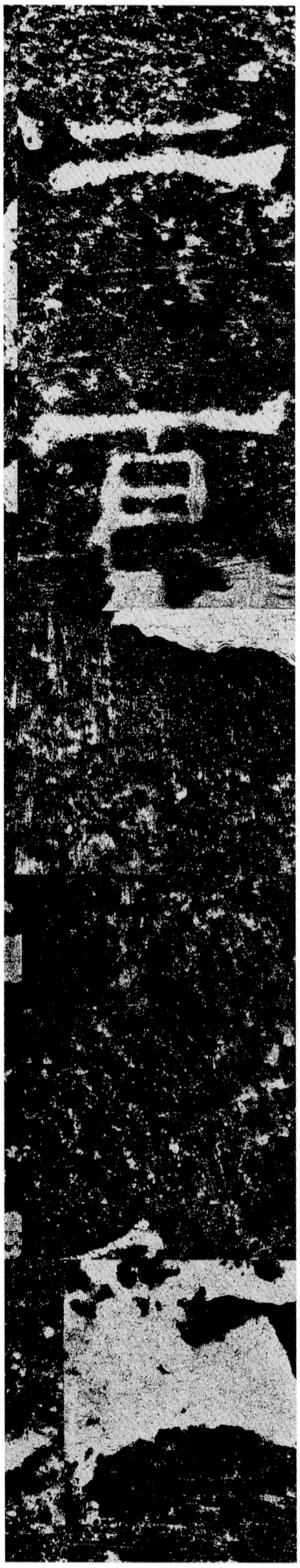

二百

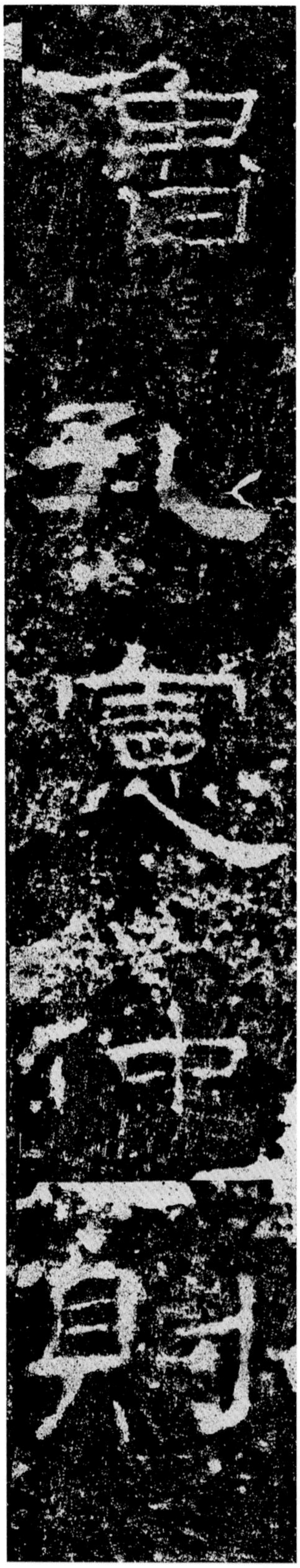

鲁孔宪仲则

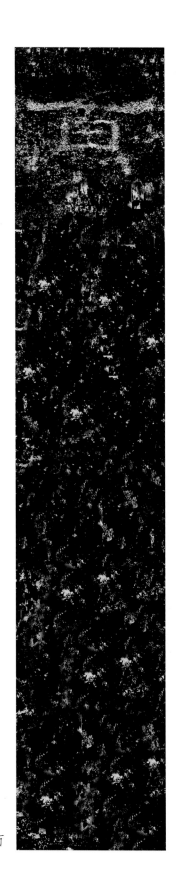

百

尚书侍郎鲁

孔彪元上三

千鲁孔汎汉

光二百

守庙百石鲁

孔恢圣文千

故从事鲁孔

建寿千

褒成侯鲁孔

树君德千

鲁孔朝升高

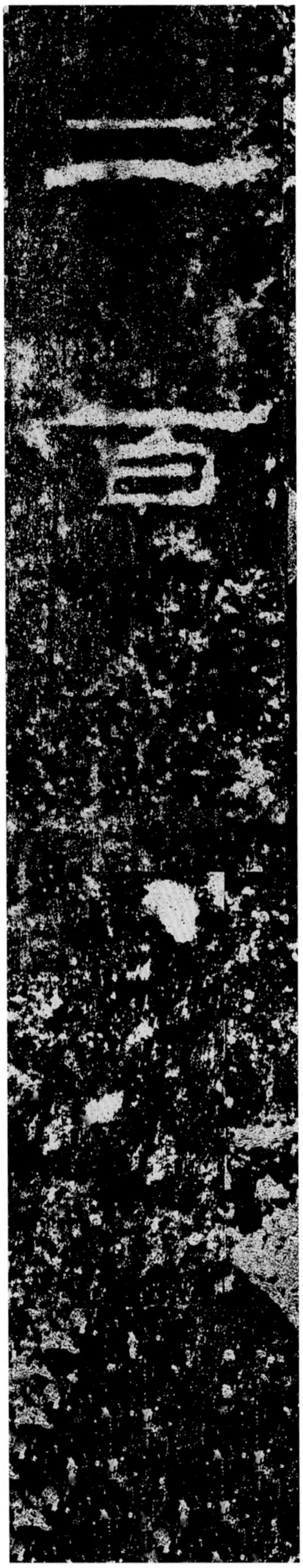
二百

行义掾鲁弓

如叔都二百

鲁刘仲俊二

鲁夏侯庐头

二百

文阳蒋元道

二百

文阳王逸文

豫二百

鲁石子重二

百

北海剧袁隆

展世百

鲁周房伯台

百

辽西阳乐张普仲坚二

百

故薛令河内温朱熊伯珍

五百

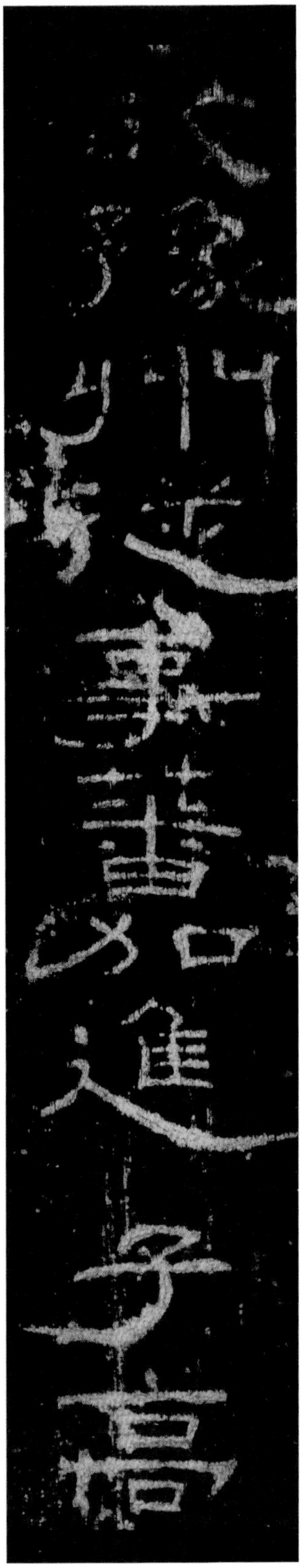

故豫州从事蕃加进子高

千

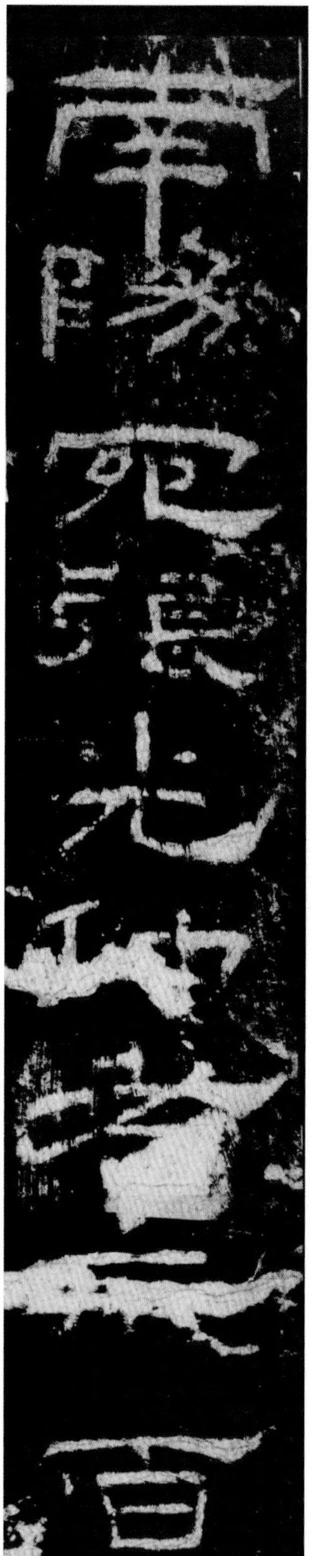

南阳宛张光仲孝二百

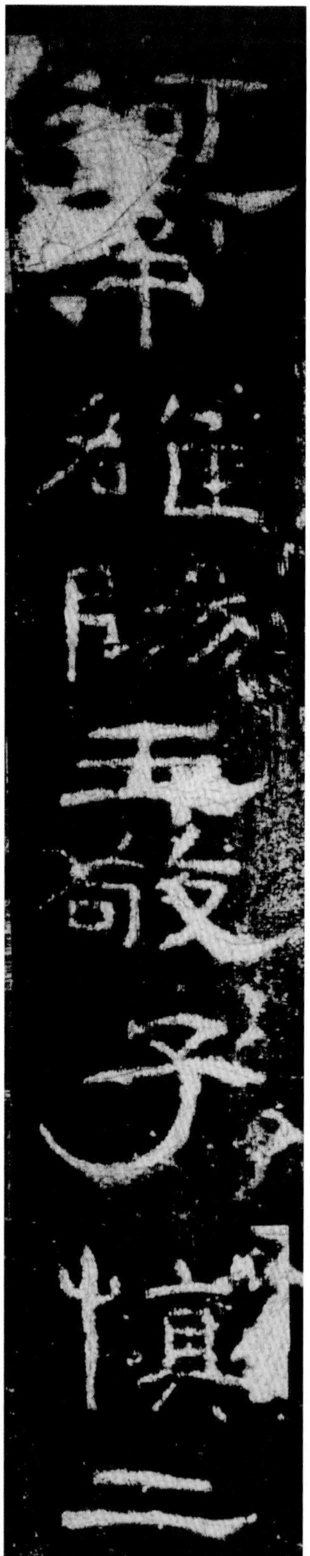

河南洛阳王敬子慎二

百

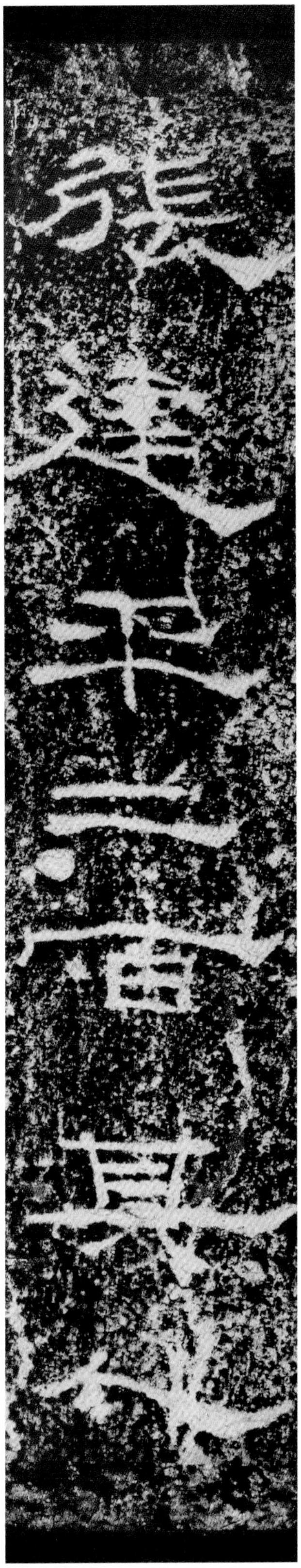

张建平二百其人

台三百齐国广

山阳瑕丘九百元

处士鲁孔征子举

杨万子三百

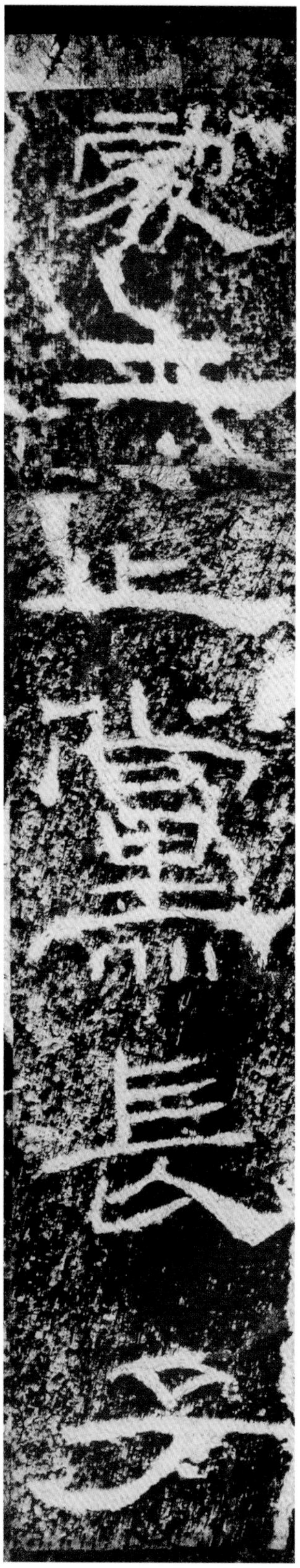

处士上党长子

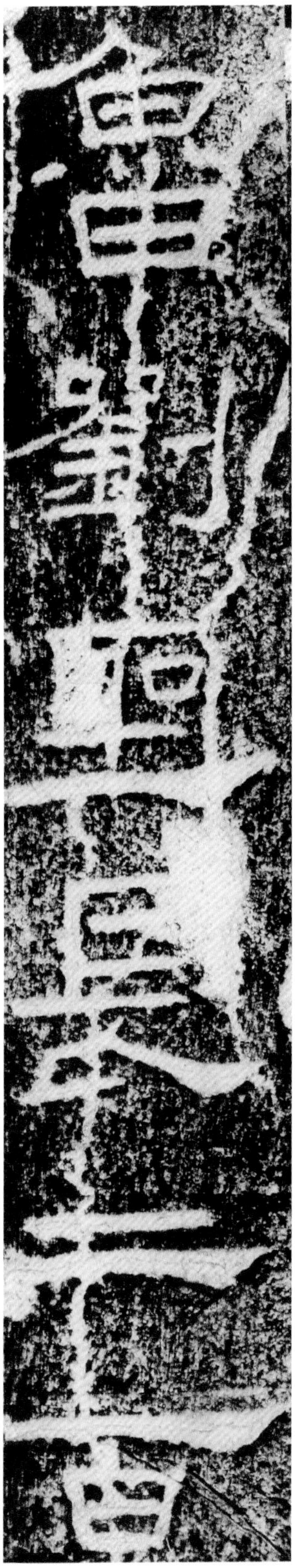

鲁刘圣长二百

鲁徐伯贤二百

二百

河南平阴樊文

通国三百

河南匽师胥邻

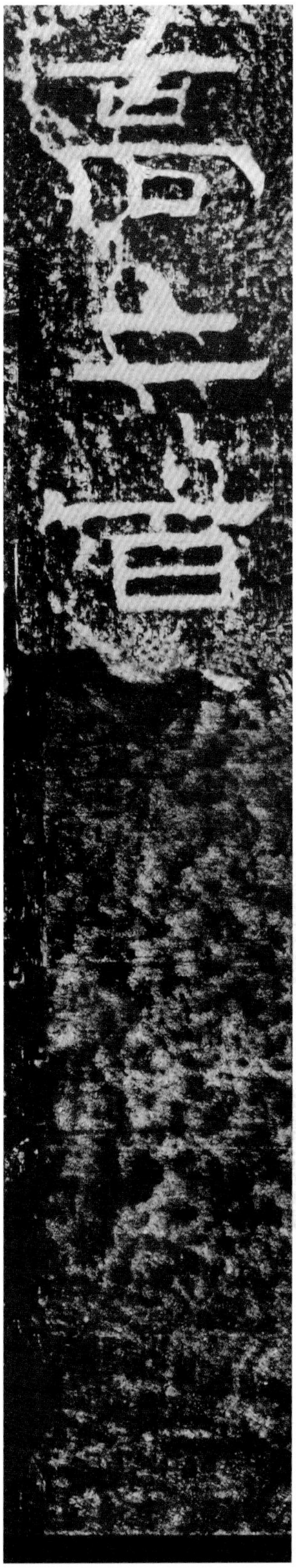

高二百

河东临汾敬信

子直千

河南洛阳左叔

虞二百

郡武阳董元厚

仲豫二百

东郡武阳桓

二百

泰山费淳于邻

元二百

泰山钜平韦仲

刘彪伯存五百

故安德侯相彭城

季遗二百

故平陵令魯麃

恢元世五百

蕃王狼子二百

松干

汾敬谦字季

东海傅河东临

时令汉中南郑

赵宣字子雅故

丞魏令河南京

福字仁直五百

左尉北海剧赵

丁璩叔举五百

司徒掾鲁巢寿

唐安季兴五百

右尉九江浚道

汉贤二百

河南匽师度征

文后三百

南阳平氏王自子

尤二百

相守史薛王芳

公百辉世平百

相行义史文阳

伯道二百

鲁孔建寿二百

二百鲁孙殷三百

鲁傅兖子豫

庐城子二百

鲁孔昭叔祖百亓

任城亢父治真百

极

惟

相

年

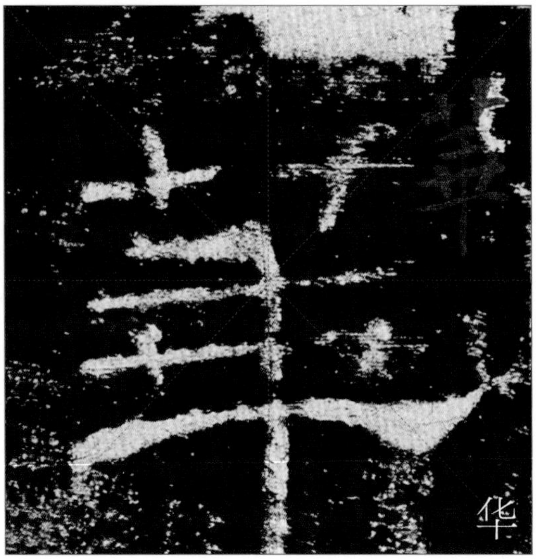
华

龙

学

胥

舅

汉

家

初

念

并

乐

官

秦

邑

丘

道

符

粮

钟

沙

更

鼓

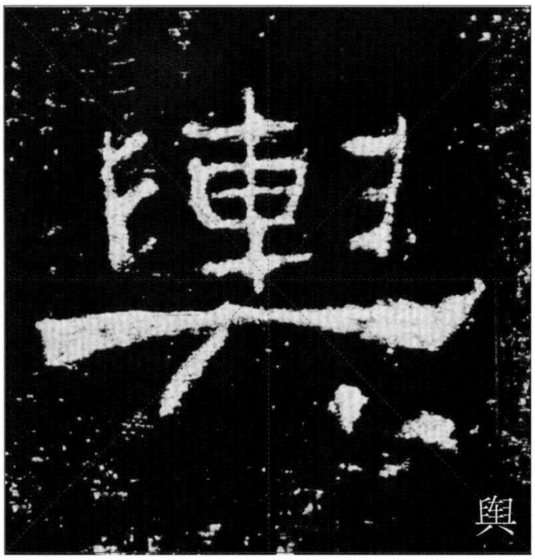
與

禁

朝

庙

备

车

紫

宣

台

以

四

稽

君

制

耀

礼